Podniebni cykliści

Sky Bikers

Tony Norman

Przekład
Translated by
Kryspin Kochanowski

Other Badger Polish-English Books

Rex Jones:
Pościg Śmierci	Chase of Death	Jonny Zucker
Futbolowy szał	Football Frenzy	Jonny Zucker

Full Flight:
Wielki Brat w szkole	Big Brother @ School	Jillian Powell
Potworna planeta	Monster Planet	David Orme
Tajemnica w Meksyku	Mystery in Mexico	Jane West
Dziewczyna na skałce	Rock Chick	Jillian Powell

First Flight:
Wyspa Rekiniej Płetwy	Shark's Fin Island	Jane West
Podniebni cykliści	Sky Bikers	Tony Norman

Badger Publishing Limited
Oldmedow Road, Hardwick Industrial Estate,
King's Lynn PE30 4JJ
Telephone: 01438 791037

www.badgerlearning.co.uk

2 4 6 8 10 9 7 5 3

Podniebni cykliści Polish-English ISBN 978 1 84691 430 0

First edition © 2008
This second edition © 2015

Text © Tony Norman 2006. First published 2006.
Complete work © Badger Publishing Limited 2008.

All rights reserved. No part of this publication may be reproduced, stored in any form or by any means mechanical, electronic, recording or otherwise without the prior permission of the publisher.

The right of Tony Norman to be identified as author of this Work has been asserted by him in accordance with the Copyright, Designs and Patents Act 1988.

Publisher: David Jamieson
Editor: Paul Martin
Design: Fiona Grant
Illustration: Paul Savage
Translation: Kryspin Kochanowski

Podniebni cykliści
Sky Bikers

Spis treści Contents

1 Czerwona kartka....... Red card

2 Świetny pomysł taty...Dad's cool idea

3 Wypadek w skate...... Skate park crash parku

4 Liena........................ Liena

5 Podniebny Cyklista....Sky Bike Rider

6 Do zobaczenia .... See you soon? wkrótce?

1 Czerwona kartka

Palące letnie słońce padało na wysoki blok mieszkalny w wielkim mieście.

Minęła jedenasta, lecz Tyler był jeszcze w łóżku. Znudzony, totalnie znudzony.

* Nie chciał oglądać telewizji.
* Nie chciał grać w gry wideo.
* Miał wszystkiego dosyć i był zmęczony.

Futbol. Oto czego potrzebował. Gry w piłkę nożną. Świetny pomysł!

Wyskoczył z łóżka i podniósł z podłogi dwie używane skarpetki. Zrolował je w kulkę i kopnął. Przeleciały przez pokój.

1 Red card

The summer sun beat down on the tall block of flats in the big city.

It was gone eleven, but Tyler was still in bed. He was bored. Bored silly.

* He didn't want to watch TV.
* He didn't want to play video games.
* He was sick and tired of all that stuff.

Football. That's what he needed. A game of football. Great idea!

Tyler jumped out of bed and picked up two old socks from the floor. He rolled them into a ball. He gave the socks a kick and they flew across the room.

„Wspaniały występ Tylera Stone'a dla United – krzyknął Tyler. „Jest w polu karnym. Strzela…"

Tyler kopnął skarpetki w ścianę ponad swoją głową. Odbiły się.

„Piłka uderza w poprzeczkę, ale on skacze w przód i zdobywa gola wspaniałą główką!".

Tyler wyskoczył i uderzył skarpetki głową, po czym spadł na łóżko. Skarpetki wpadły w podręczniki, które zwaliły się z hukiem na podłogę.

Drzwi otworzyły się gwałtownie. Stał w nich rozgniewany ojciec.

Tyler wiedział, że dostanie czerwoną kartkę!

"Tyler Stone is having a great game for United," Tyler yelled. "He's in the box now. He shoots–"

Tyler kicked the socks into the wall above his bed. They bounced back through the air.

"The ball hits the bar, but he dives and scores with a great header!"

Tyler jumped up and headed the socks, before falling down on his bed. The socks hit his school books. They fell to the floor with a crash.

The door flew open. Tyler's dad stood there, looking angry.

Tyler knew his game was about to get the red card!

2 Świetny pomysł taty

- Przestań hałasować – tata rzucił gniewnie. – Dlaczego nie wyjdziesz na dwór, jest taka ładna pogoda?

- Nie ma tam nic do roboty, prawda? – odparł Tyler obrażonym głosem. – Wszyscy moi koledzy wyjechali na wakacje. Dlaczego my wciąż jesteśmy w mieście?

Tato Tylera wyglądał na zmartwionego. Był bez pracy i nie mógł opłacić wyjazdu.

Tyler poczuł, że był niemiły. – Przepraszam – powiedział.

2 Dad's cool idea

"Stop all this noise," his dad snapped. "Why don't you go out and enjoy the sun?"

"There's nothing to do, is there?" said Tyler, in a sulky voice. "All my mates are away on holiday. How come we're still stuck here in the city?"

Tyler's dad looked upset. He was out of work and could not pay for a holiday.

Tyler felt mean. "Sorry," he said.

- W porządku – powiedział tata. – Ja również chciałbym, żebyśmy gdzieś wyjechali. Słyszałem jednak, że zorganizowano obóz letni w skate parku. Co ty na to?

- Super – odpowiedział Tyler, uśmiechając się szeroko.

- Dobra, weź swoją deskę – tata uśmiechnął się. – Przejdę się tam z tobą. Chodźmy!

Zajęło całą wiecznośc zanim Tyler znalazł swoją deskorolkę. Była pod łóżkiem. Ponieważ nigdy jej nie używał, cała była pokryta pajęczynami. Prawda była taka, że skłamał, aby uszczęśliwić swojego tatę.

Skate park był ostatnim miejscem na Ziemi, do którego chciał pójść.

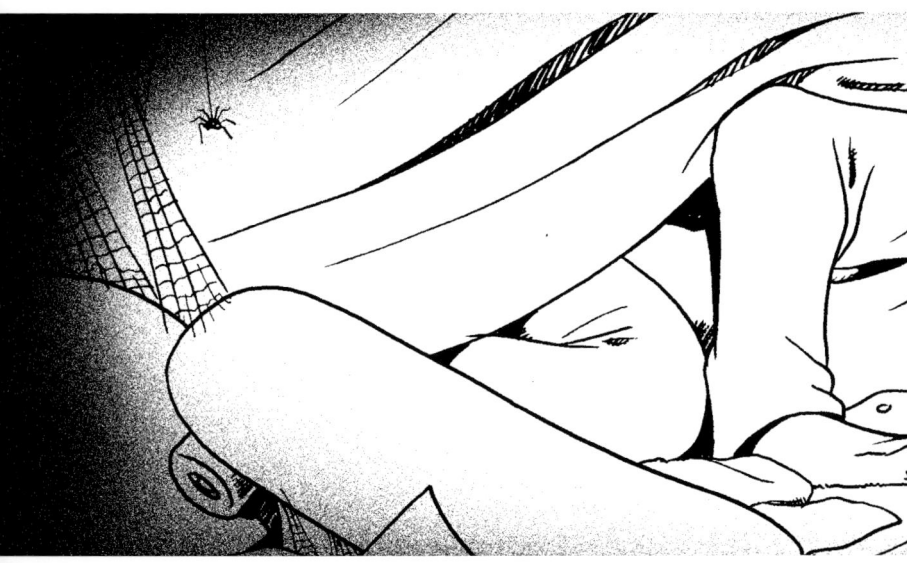

"It's okay," said his dad. "I wish we could get away too. But I heard there's a Summer Camp down at the skate park. How does that sound?"

"Cool," said Tyler, with a grin.

"Okay, get your board," smiled Dad. "I'll walk down there with you. Let's go!"

It took Tyler ages to find his skateboard. It was under his bed. There were cobwebs all over it because he never used it. The truth was, Tyler had lied to keep his dad happy.

The skate park was the last place in the world he wanted to go.

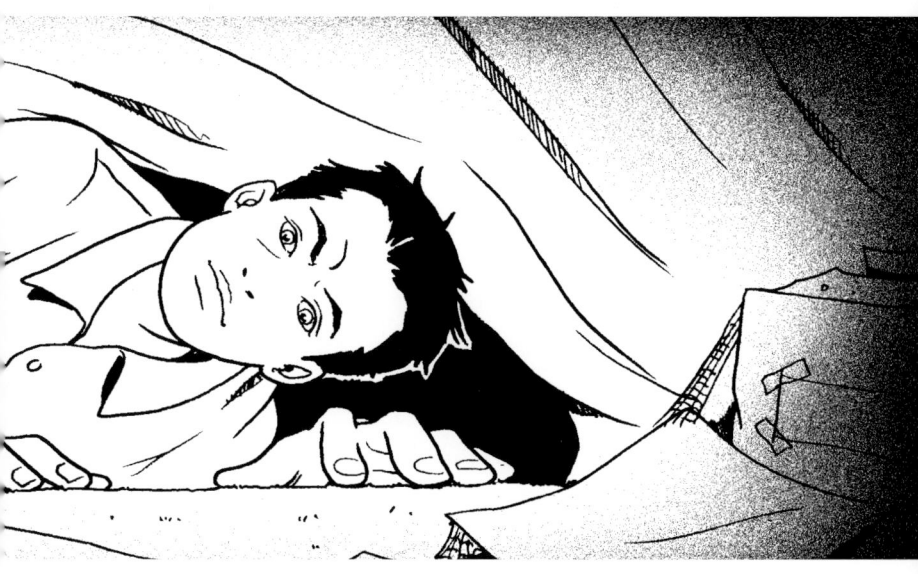

3 Wypadek w skate parku

W skate parku Tyler dostał kask oraz ochraniacze na kolana i łokcie. Usiadł na ławce, aby je włożyć.

Pełno było tu dzieciaków wykonujących ewolucje na zjazdach. Grała głośna muzyka. Wszyscy wyglądali na zadowolonych.

„Co ja tu robię?", pomyślał.

Nie znał żadnego z dzieciaków. Wszystkie dobrze się prezentowały na swoich deskorolkach. Poruszały się właściwie. Tyler wiedział, że wyglądałby na zjazdach jak dziwak. Siedział więc samotnie na ławce.

3 Skate park crash

At the skate park, Tyler was given a helmet, knee pads and elbow pads to wear. He sat on a bench to put them on.

The skate park was full of kids doing tricks on the slopes. Loud music was playing. They all looked happy.

"What am I doing here?" thought Tyler.

He didn't know any of the other kids. They all looked good on their skateboards. They had the right moves. Tyler knew he would look a nerd on the slopes. So he sat on the bench on his own.

Rozejrzał się po placu i uśmiechnął się. Stary zardzewiały rower leżał przy płocie. Tyler uwielbiał rowery. Podbiegł do niego, wskoczył i zaczął jeździć na tylnym kole.

Wkrótce inne dzieciaki patrzyły na niego. Postanowił popisać się przed nimi.

Najechał rowerem na jeden z podjazdów. Spróbował obrócić się i zjechać tą samą drogą, lecz jechał zbyt szybko i upadł.

Uderzył głową w twardy podjazd a zardzewiały rower zwalił się na ziemię.

He looked round the skate park, then he smiled. A rusty old bike lay by the fence. Tyler loved bikes. He ran over, jumped on the bike and started doing wheelies.

Soon the other kids were watching him. Tyler decided to put on a show for them.

He rode the bike up one of the skate park slopes. He tried to spin and come back down, but he was going too fast and he fell.

Tyler's head hit the hard slope and the rusty bike crashed to the floor.

4 Liena

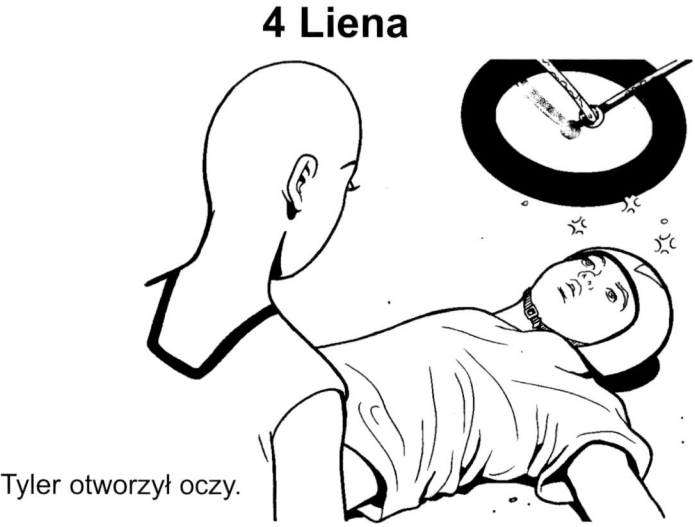

Tyler otworzył oczy.

Dziewczyna o lśniącej fioletowej skórze patrzyła na niego.

Tyler zamknął oczy, po czym otworzył je ponownie. Dziewczyna wciąż tam była.

- Jesteś cały? Jej głos przypominał dźwięk pozytywki. Jej oczy były żółte i nie miała włosów na głowie, ale mimo to była ładna.

- Odejdź – powiedział Tyler.

- Dlaczego? – zapytała dziewczyna.

- Uderzyłem się w głowę i wszystko to tylko mi się zdaje, tak?

- Nie, możesz we mnie wierzyć – powiedziała dziewczyna. – Na imię mi Liena. Ty jesteś Tyler. Potrafię czytać twoje myśli.

4 Liena

Tyler opened his eyes.

A girl with shiny purple skin was looking down at him.

Tyler shut his eyes, then opened them again. The girl was still there.

"Are you okay?" Her voice rang like the notes of a music box. Her eyes were yellow and she had no hair on her head, but she was still pretty.

"Go away," said Tyler.

"Why?" said the girl.

"I hit my head and this is just a crazy dream, right?"

"No, you can believe in me," said the girl. "My name is Liena. Your name is Tyler. I can read your mind."

- Oczywiście – powiedział Tyler, podnosząc swój rower.

- Wszyscy twoi koledzy wyjechali na wakacje, więc nie jesteś szczęśliwy – powiedziała Liena. – Możesz jednak zobaczyć dziś morze. Zabiorę cię tam.

- Jak? – zapytał Tyler.

- Rozpędź się na tym rowerze.

- I co, znowu mam się przewrócić?

- Nie, zaufaj mi – powiedziała. – Jeśli śnisz, to co masz do stracenia?

- To istne szaleństwo – zaśmiał się Tyler, wsiadając z powrotem na rower. – Ale zobaczmy.

Tyler pedałował tak szybko jak mógł. Rower zaczął się trząść, jakby stawał się żywy. Nagle, w ułamku sekundy, ze starego i zardzewiałego zamienił się w srebrny...

"Yeah, right," said Tyler, picking up his bike.

"All your friends are away on holiday, so you are not happy," said Liena. "But you can see the sea today. I will take you."

"How?" asked Tyler.

"Ride that bike as fast as you can."

"Then what, crash again?"

"No, trust me," said Liena. "And if you are dreaming, what do you have to lose?"

"This is so weird," Tyler laughed, getting back on the bike. "But okay."

Tyler started to pedal as fast as he could. The bike began to shake, as if it was coming alive. Then, in a split second, the rusty old bike turned to silver…

5 Podniebny Cyklista

Tyler zobaczył potok jaskrawych barw pędzących przed jego oczyma. Po chwili mknął na srebrnym rowerze poprzez niebo. Liena leciała obok.

- Tyler – krzyknęła – jesteś teraz Podniebnym Cyklistą!

Jego umysł wirował. – Nie wiem, czy to jawa, czy sen – zaśmiał się. – Ale kogo to obchodzi?

- Chcesz się ścigać? – zapytała Liena.

- Ruszaj! – krzyknął Tyler.

5 Sky Bike Rider

Tyler saw a rush of bright colours speed past his eyes. Then he was riding his bright silver bike through the sky. Liena was flying beside him.

"Tyler," Liena shouted, "you are now a Sky Bike Rider!"

Tyler's mind was in a spin. "I don't know if this is real or a dream," he laughed. "But who cares?"

"Ready to race?" asked Liena.

"Go for it!" yelled Tyler.

Pędzili przez czyste, niebieskie, letnie niebo. Skierowali się ku słońcu, by potem zanurkować przez białe chmury, niczym z waty. Tyler czuł się, jakby był na najlepszej przejażdżce w parku tematycznym.

Liena uśmiechnęła się do niego i wskazała na dół. Zobaczył jasną plażę daleko pod nimi. Liena zanurkowała a Tyler podążył za nią. W mgnieniu oka stali na gorącym piasku.

Liena podbiegła i rzuciła się w fale. Tyler również pływał w morzu. Gdy wrócili na plażę, Liena pstryknęła palcami i ubranie Tylera wyschło, jak za sprawą magii.

And, with that, they sped off across the clear blue summer sky. They flew up towards the sun, then dived down through soft white clouds like cotton wool. Tyler felt like he was on the best theme park ride ever.

Liena smiled at him and pointed down. Tyler saw a bright yellow beach far below them. Liena dived and he followed. In no time they were standing on the hot sand.

Liena ran and dived into the waves. Tyler swam in the sea too. As they walked back up the beach, Liena clicked her fingers and Tyler's wet clothes dried like magic.

- Czy Tyler chciałby coś zjeść? – spytała Liena.

- Rybę z frytkami, lody i watę cukrową, proszę – odrzekł.

Liena pstryknęła palcami i jedzenie pojawiło się w rękach Tylera.

Po lanczu udali się do wesołego miasteczka na końcu molo, gdzie jeździli na wszystkich karuzelach. Nikt za wyjątkiem Tylera zdawał się nie zauważać Lieny. O wiele za wcześnie słońce zaczęło chylić się ku zachodowi.

- Musimy już wracać – powiedziała Liena.

"Does Tyler want food?" Liena asked.

"Fish and chips, ice cream and a candy floss, please," said Tyler.

Liena flicked her fingers and Tyler found all the food in his hands.

After lunch, they went on every ride at the fair on the end of the pier. Nobody else seemed to see Liena, only Tyler. All too soon the sun started to slip from the sky.

"We must go back now," said Liena.

Żal mu było wracać, ale podniebna przejażdżka znowu dobrze go nastroiła. Kiedy zobaczyli plac skaterów, Liena powiedziała mu, by zwolnił. Tyler chciał jednak zaprezentować dobry styl i podszedł do lądowania ze zbyt dużą prędkością.

W momencie, w którym stary rower uderzył w ziemię na powrót pokrył się rdzą a Tyler spadł z niego…

Tyler was sorry to leave, but the race back through the sky made him feel good again. Liena told him to slow down when they saw the city skate park below. But Tyler wanted to land in style and he came in too fast.

The second the old bike hit the ground, it turned to rust again and Tyler fell to the floor...

6 Do zobaczenia wkrótce?

Tej nocy, leżąc w łóżku, Tyler starał się poukładać sobie to wszystko w głowie.

Gdy się przebudził w skate parku, inne dzieciaki powiedziały mu, że spadł z roweru i uderzył się w głowę. Na długo stracił przytomność. Kiedy zapytał ich o fioletową dziewczynę o żółtych oczach, wszyscy powiedzieli, że zwariował.

„Może i mają rację", pomyślał. „Skąd jednak wziął się piasek w moich butach, gdy wróciłem dziś wieczorem do domu?".

6 See you soon?

That night, Tyler lay in bed trying to make sense of it all.

When he woke up at the skate park, the other kids said he had hit his head when he fell off the old bike. He had been out of it for ages. When Tyler started to ask them about a purple girl with yellow eyes, they all said he was acting crazy.

"Maybe they were right," Tyler thought. "But then, why did my trainers have sand in them when I got home tonight?"

Bolała go głowa i czuł się senny. Nie chciało mu się więcej myśleć. Zgasił światło. Już prawie spał, gdy jego komórka zabrzęczała przy łóżku. Tyler przeczytał tekst ze świecącego łagodnie zielonego wyświetlacza:

**do zobaczenia wkrótce,
podniebny cyklisto!
liena x**

Tyler starał się zachować wiadomość, ale był tak zmęczony, że ją usunął. Odłożył telefon w ciemnościach.

Czy Liena rzeczywiście wysłała mu wiadomość, czy też nie? Nie wiedział, co myśleć. Usnął jednak z wiadomością od niej w pamięci. „Do zobaczenia wkrótce, Podniebny Cyklisto!".

Może się to ziści... kto wie.

Had Liena really sent him a text or not? Tyler didn't know. But he fell asleep with Liena's message in his mind. "See you soon, Sky Bike Rider!"

Maybe the text would come true... just maybe.

His head was sore and he felt sleepy. He didn't want to think any more. He turned off the light. He was almost asleep when his mobile beeped by his bed. Tyler read the text by the phone's soft green light:

> **cu soon**
> **sky bike rider!**
> **liena x**

Tyler tried to save the text, but he was so tired, he wiped it. He put the phone down in the dark.